PRÉSENTATION DES ÉVÉNEMENTS ET DES PERSONNAGES.

RÉSUMÉ DES ÉPISODES PRÉCÉDENTS.

Afin de devenir hunter comme son père, GON participe à l'examen annuel des hunters réputé très difficile. C'est là qu'il fait la connaissance de KURAPIKA, LÉORIO et KIRUA.
Après avoir passé avec succès le deuxième tour, les quatre nouveaux amis arrivent sur le lieu du troisième tour. Cette fois-ci, l'épreuve consiste à parvenir au pied de la tour aux astuces dans un temps limité. Rejoints par TOMPA, ils sont désormais cinq et leur progression à l'intérieur de la tour dépend uniquement des décisions prises à la majorité.
Les voilà maintenant face à cinq détenus qui, grâce à un arrangement avec les jurés, espèrent obtenir une réduction de leur très longue peine. C'est une série de combats à un contre un qui commence : la première équipe à obtenir trois victoires gagne. Après la défaite de TOMPA, GON parvient à remettre les deux camps à égalité : une victoire partout...

GON

Personnage principal de l'histoire. À la recherche de son père, il marche sur ses traces et souhaite devenir hunter.

KURAPIKA

Veut devenir hunter pour pouvoir arrêter "la brigade fantôme" à l'origine de l'extermination de son clan.

LÉORIO

Prétend vouloir devenir hunter pour être riche mais en réalité rêve de devenir médecin.

HISOKA Le magicien impitoyable. Se sert de cartes à jouer lorsqu'il se bat et sème la terreur chez les participants.

TOMPA Le vétéran des candidats. Son attitude particulièrement gentille cache en fait son jeu favori : mettre hors course les nouveaux candidats.

KIRUA

Tous les membres de sa famille sans exception exercent la profession de tueurs professionnels. Refusant l'avenir que ces derniers lui promettaient, il s'est enfui et est venu passer l'examen.

HUNTER × HUNTER

ハンター ✕ ハンター

SOMMAIRE

NO. 3

N°018 DEUX ATOUTS

9

J'AI DÉJÀ TUÉ DIX-NEUF PERSONNES MAIS...

TAC

TAC

HE HE HE

ÇA M'ÉNERVAIT PARCE QUE CE N'EST PAS UN CHIFFRE ROND...

JE SUIS CONTENT !

UN TUEUR EN SÉRIE, CETTE FOIS ?!

ARGH !

JE N'AIME PAS FAIRE LES CHOSES À MOITIÉ !

MOI, IL N'Y A VRAIMENT QUE LES COMBATS DANS LESQUELS ON RISQUE SA VIE QUI M'EXCITENT.

IL ME FAUT DU SANG ! DES CORPS ÉVENTRÉS ! DE LA DOULEUR !

TU NE MANQUES PAS DE CRAN !

EUH, OUI...

CA ME VA.

SUR UN TON SEC

MOI QUI PENSAIS QU'IL AURAIT LA TROUILLE...

JE NE M'ATTEN-DAIS PAS À CA...

MAIS SI TU POUVAIS DÉCIDER DES RÈGLES DU COMBAT, CE SERAIT BIEN.

CRAC

CRAC

CEPEN-DANT...

VOILÀ CE QUE JE TE PROPOSE : UN COMBAT À MORT ! ON SE BAT JUSQU'À CE QUE L'AUTRE ADMETTE SA DÉFAITE OU QU'IL MEURE !

OK, ÇA ME VA.

DON

JE NE TE GARANTIS PAS POUR AUTANT D'ARRÊTER DE FRAPPER !

EN IMAGINANT QUE TU JETTES L'ÉPONGE AU MILIEU DU COMBAT...

OUI...

HEIN ?

SINON J'AIMERAIS BIEN QU'ON COMMENCE.

AUTRE CHOSE ?

TAC TAC POI POI TAC

POI TAC TAC

IL NE DOIT PAS ÊTRE TRÈS FUTE POUR NE PAS SE DOUTER, EN ME VOYANT, QUE JE SUIS UN ÊTRE HORRIBLE...

À MOINS QU'IL NE PUISSE TOUT SIMPLEMENT PLUS RECULER...?

A-T-IL À CE POINT CONFIANCE EN SES CAPACITÉS ?

J'ÉTAIS SÛR QU'IL AVAIT DES ARMES SUR LUI... CELA DIT, IL N'AVAIT PAS L'AIR DE VRAIMENT COMPTER DESSUS...

J'AI DEUX ATOUTS TRÈS SPÉCIAUX

CONTRE LES ADVERSAIRES DE SON GENRE...

DANS MON BRAS DROIT ET SUR MON DOS...!!

POUR MOI, IL EST CLAIR QUE CE TYPE...

KURAPIKA ? EN DANGER ?

IL A VRAIMENT INTÉRÊT À SE MÉFIER DE L'AUTRE...

COMMENT VOUS LE SENTEZ POUR KURAPIKA ?

...

HM...

CE N'EST QU'UN IMPOSTEUR.

N'EST PAS CAPABLE DE LE TUER OU MÊME DE LE FRAPPER...

QUE LE COMBAT COMMENCE !!!

...

ET ALORS ?

BEN OUI ! JE LE REGARDE ET JE N'AI AUCUNE PALPITATION.

?

À MON AVIS, ON N'A PAS À S'INQUIÉTER...

MES
DEUX
ATOUTS
!!!

JE
VAIS TE
MONTRER
!!!

CRAC

EST-CE QUE CE SERAIT...?

UN TATOUAGE EN FORME D'ARAIGNÉE À DOUZE PATTES !!

?

LE GROUPE DE MALFAITEURS LE PLUS HORRIBLE DE TOUTE L'HISTOIRE...

QUICONQUE PRÉTEND DEVENIR HUNTER EN A AU MOINS ENTENDU PARLER UNE FOIS DANS SA VIE.

HE HE HE !!!

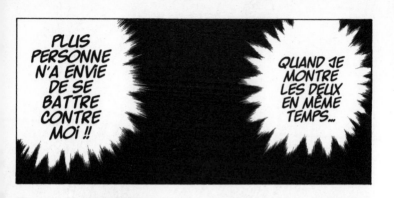

PLUS PERSONNE N'A ENVIE DE SE BATTRE CONTRE MOI !!

QUAND JE MONTRE LES DEUX EN MÊME TEMPS...

PARCE QU'À CE STADE DU COMBAT, JE SUIS ENCORE...

SI TU AS ENVIE DE RENONCER AU COMBAT, C'EST MAINTENANT QU'IL FAUT LE DIRE.

JE SUIS MAJITANI, L'UN DES QUATRE ROIS DE LA BRIGADE.

EH BIEN ? TU ES BIEN SILENCIEUX TOUT À COUP ?

PRENDS MA PREMIÈRE ATTAQUE COMME UNE SORTE DE PRÉSENTATION.

!?

AAAH~

QU'EST-CE QUE TU AS ?!

MAIS...

24

OUAIS !

ON VA ÉVITER DE LUI MONTRER DES ARAIGNÉES, HEIN ?

ET JE DEVRAIS PLUTÔT M'EN RÉJOUIR...

ÇA VEUT CERTAINEMENT DIRE QU'AU FOND DE MOI, TOUTE HAINE NE S'EST PAS ENCORE EFFACÉE.

DOOOON

どよ～～～～ん

VRAIMENT...

TAC TAC

IL EST VRAIMENT NUL...

MAJITANI
Condamné à 108 ans de travaux forcés pour fraudes répétées, chantage, etc. Ses blessures sont le résultat des échecs des opérations subies pour changer de visage.

J'AI MA PETITE IDÉE SUR LA QUESTION.

LAISSE-MOI FAIRE !

ON N'A PLUS LE CHOIX.

JE PENSE QUE VOUS AVEZ COMPRIS, NON ?

JE VAIS EN FINIR !

BON !!!

403

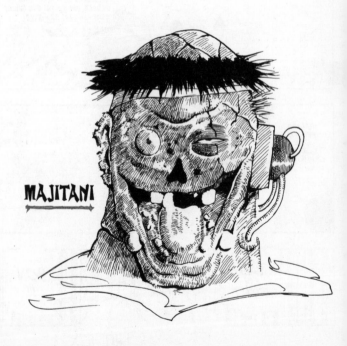

MAJITANI

JE VAIS EN FINIR !!

TADAN !!

DÉPÊCHEZ-VOUS DE RAMASSER SON CORPS ! ON ATTEND LE PROCHAIN PRISONNIER !

LE MATCH N'EST PAS ENCORE FINI.

CAR...

!?

ÇA, CE N'EST PAS POSSIBLE.

HIHIHI !

QUOI ?!

N°019 LE PIÈGE DES CHOIX À LA MAJORITÉ

FINIS-EN AVEC LUI ET DONNE-LUI LE COUP DE GRÂCE !

TU PARLES !

POUR MOI, LA PARTIE EST TERMINÉE.

QUOI ?!

NON.

JE NE PEUX PAS FRAPPER DAVANTAGE UN HOMME À TERRE.

J'AI FRAPPÉ MON ADVERSAIRE ALORS QU'IL AVAIT RENONCÉ À SE BATTRE.

MAIS NE COMPTEZ PAS SUR MOI POUR FAIRE QUELQUE CHOSE DE PLUS.

ÇA DÉPEND DE LUI.

S'IL REPREND SES ESPRITS, ON POURRA EN REPARLER.

TU PLAISANTES ?! DANS CE CAS, QU'AS-TU L'INTENTION DE FAIRE ?

ARGH~

TU AS LA TROUILLE ?

...

SI TU VEUX, JE PEUX LE TUER POUR TOI.

TU N'AS JAMAIS TUÉ PERSONNE, N'EST-CE PAS ?

JE VOIS.

DE PLUS, C'EST UN COMBAT ENTRE LUI ET MOI. JE N'AI PAS BESOIN DE TON AIDE.

JE NE ME SUIS JAMAIS DEMANDÉ SI TUER QUELQU'UN ME FERAIT PEUR OU PAS.

TU VOIS, QUAND TU VEUX, TU DIS DES TRUCS BIEN ! DIS-LUI ENCORE UNE FOIS !

TOUT À FAIT !

PENSE UN PEU AUX AUTRES !

JE TE RAPPELLE QUE TU N'ES PAS SEUL ! CE N'EST PAS LE MOMENT D'ÊTRE ÉGOÏSTE !

APPUIENT SUR O CEUX QUI SONT D'ACCORD POUR LUI DONNER LE COUP DE GRÂCE !! LES AUTRES APPUIENT SUR X !!

BON ! DANS CE CAS, REMETTONS-NOUS-EN À LA MAJORITÉ !

JE N'AI NULLEMENT L'INTENTION DE CHANGER D'AVIS.

DÉSO-LÉ MAIS...

UN, DEUX, ET...

ち—の!!

!!

31

IL BOUDE...

BOUDE BOUDE

FAITES COMME VOUS VOULEZ !

C'EST BON ! J'AI COMPRIS !!!

...

C'EST LÀ LE BUT DE CES CHOIX À LA MAJORITÉ !!!

IMBÉCILE...

IL EST TOMBÉ DANS LEUR PIÈGE.

MAIS CE N'EST RIEN D'AUTRE QUE LA MANIÈRE LA PLUS SIMPLE DE CRÉER DES DIVISIONS AU SEIN D'UN GROUPE !

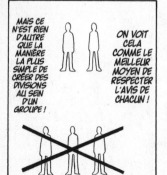

ON VOIT CELA COMME LE MEILLEUR MOYEN DE RESPECTER L'AVIS DE CHACUN !

EN FAIT, C'EST UN DAN-GE-REUX PIÈGE !!!

ON A TENDANCE À PENSER QUE C'EST LE MEILLEUR MOYEN POUR AVANCER MAIS...

LORSQUE DES GENS QUI SE CONNAISSENT À PEINE DOIVENT PRENDRE DES DÉCISIONS...

DÉFIANCE... OPPOSITION...

DANS UN SENTIMENT DE FRUSTRATION, DE COLÈRE, D'ISOLEMENT !!

CELUI QUI SE RETROUVE PLUSIEURS FOIS DE SUITE MINORITAIRE TOMBE PETIT À PETIT...

DES-TRUC-TION.

ET AU FINAL

ON EST OBLIGÉS DE SE PLIER À LA VOLONTÉ DES AUTRES, CELA DEVIENT INSUPPORTABLE ET LA SITUATION FINIT PAR ÊTRE STÉRILE !

SI NOUS ÉTIONS DES AMIS DE LONGUE DATE, CE NE SERAIT PAS GRAVE. MAIS NON SEULEMENT CE N'EST PAS LE CAS MAIS EN PLUS, NOUS SOMMES RIVAUX !

IL Y A DEUX CHOSES À NE JAMAIS FAIRE LORS DE DÉCISIONS PRISES À LA MAJORITÉ !!

LE VOILÀ MAIN-TE-NANT AU FOND DU PIÈGE !

MAIS IL S'EST COM-PLÈTEMENT PRIS AU JEU DES DÉCISIONS À LA MAJORITÉ !

IL FAUDRAIT QUE CHACUN PUISSE AGIR COMME IL L'ENTEND.

ET IL A PROPOSÉ CETTE SOLUTION ALORS QUE CELA N'ÉTAIT PAS NÉCESSAIRE.

DISCUTER ET VOTER À MAIN LEVÉE !

MAIS DANS UNE SITUATION OÙ IL NE RESTE QUE 60 HEURES, QUE SE PASSE-T-IL LORSQUE LES AVIS SE RETROUVENT PARTAGÉS ?! ET SI FINALEMENT, APRÈS UN CHOIX DIFFICILE, ON SE TROMPE ?! DISCUTER NE VAUT LA PEINE QUE SI ON A TOUT LE TEMPS NÉCESSAIRE DEVANT SOI.

ÇA A L'AIR TRÈS RATIONNEL ET PARFAIT...

S'INFORMER DE L'OPINION DE CHACUN, DISCUTER ET FINALEMENT TOMBER D'ACCORD...

LE GROUPE EST INÉVITA-BLEMENT CONDUIT À LA SÉPA-RATION !!

POUR PEU QU'ON SE RETROUVE EN DÉSACCORD À CHAQUE FOIS AVEC LES MÊMES PERSONNES, ET QUE CE SOIT TOUJOURS L'OPINION DU MÊME QUI SOIT DÉNIGRÉE...

IL N'Y A PLUS D'ANONYMAT ! ET LES MINORITAIRES N'ONT PLUS AUCUN DROIT DE CONTESTATION, ET CE, MÊME SI ON CONNAÎT BIEN SES PARTENAIRES !

FAIRE UN VOTE À MAIN LEVÉE EST UNE ÉNORME ERREUR !

LA DISQUA-LIFICATION DE L'ENSEM-BLE !!

ET LA SÉPARA-TION SIGNIFIE...

38

PIED DE LA TOUR AUX ASTUCES.

TEMPS UTILISÉ : 6H17MN.

TROISIÈME TOUR. PREMIER ARRIVÉ : N°44, HISOKA !!

44

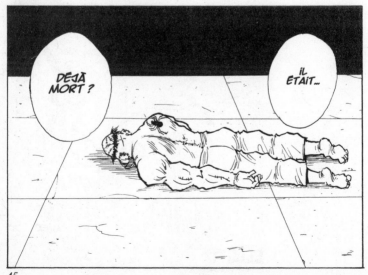

LELUTO

N°020 GAMBLE TIME*

*Ndt :
en anglais dans le texte.
"LE TEMPS DU JEU".

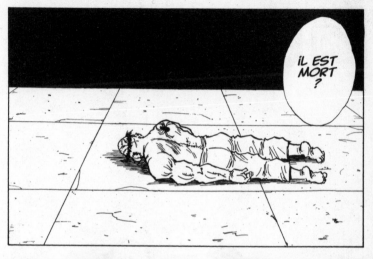

48

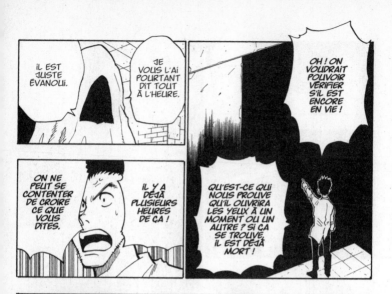

IL EST JUSTE EVANOUI.

JE VOUS L'AI POURTANT DIT TOUT À L'HEURE.

OH ! ON VOUDRAIT POUVOIR VÉRIFIER S'IL EST ENCORE EN VIE !

ON NE PEUT SE CONTENTER DE CROIRE CE QUE VOUS DITES.

IL Y A DÉJÀ PLUSIEURS HEURES DE ÇA !

QU'EST-CE QUI NOUS PROUVE QU'IL OUVRIRA LES YEUX À UN MOMENT OU UN AUTRE ? SI ÇA SE TROUVE, IL EST DÉJÀ MORT !

!?

BON. DANS CE CAS, QUE DIRIEZ-VOUS D'UN PARI ?

DU TEMPS.

UN PARI ?! MAIS ON PARIE QUOI ?!

FAISONS UN PARI.

EST-IL MORT ? OU EST-IL VIVANT ?

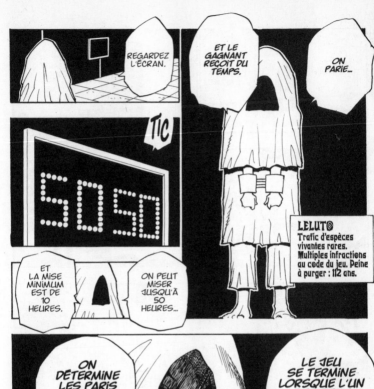

REGARDEZ L'ÉCRAN.

ET LE GAGNANT REÇOIT DU TEMPS.

ON PARIE...

TIC

LELUTO
Trafic d'espèces vivantes rares. Multiples infractions au code du jeu. Peine à purger : 112 ans.

ET LA MISE MINIMUM EST DE 10 HEURES.

ON PEUT MISER JUSQU'À 50 HEURES...

ON DÉTERMINE LES PARIS CHACUN À NOTRE TOUR.

LE JEU SE TERMINE LORSQUE L'UN DES DEUX PARTICIPANTS SE RETROUVE À ZÉRO.

MA PEINE SERA ALOURDIE DE 50 ANS.

ET SI C'EST MOI QUI PERDS...

LE TEMPS DONT VOUS DISPOSEZ POUR SORTIR DE LA TOUR SERA RÉDUIT DE 50 HEURES.

SI C'EST TOI QUI PERDS...

JE TE LAISSERAI VÉRIFIER S'IL EST EN VIE OU NON.

SI TU ACCEPTES LE JEU...

SI TU VENAIS À PERDRE, IL NE NOUS RESTERAIT PLUS QUE 9 HEURES POUR SORTIR DE LA TOUR.

MÉFIE-TOI, LÉORIO.

ELLE EST FOLLE : PRÊTE À PARIER SON TEMPS D'EMPRISON-NEMENT.

C'EST LA VOIX D'UNE FILLE...

TIC

JE TE RAPPELLE QU'ON EN EST LÀ PARCE QUE TU N'AS PAS VOULU DONNER LE COUP DE GRÂCE...

C'EST TOI QUI TE PERMETS DE ME DIRE ÇA ?!

CE N'EST PAS LE MOMENT DE SE DISPUTER !

EH, OH !

ARGH !!

J'AI COMPRIS. JE NE DIRAI PLUS RIEN.

À TOI D'EN DÉCIDER L'ENJEU, EN NOMBRE D'HEURES.

COMME C'EST MOI QUI AI DÉCIDÉ DU PARI...

OK !

C'EST D'ACCORD ! J'ACCEPTE !

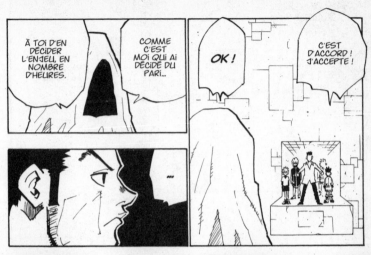

...

JE PARIE DIX HEURES QU'IL VIT !

C'EST NORMAL, NON ?

IL N'AVAIT PAS DIT QU'IL NE DIRAIT PLUS UN MOT ?

TU ES PRUDENT.

LUI QUI DISAIT QU'IL PENSAIT QU'IL ÉTAIT MORT...

IL NE SAIT PAS CE QU'IL VEUT...

!?

PAR CONTRE, SI J'AVAIS PARIÉ SUR SA MORT ET QU'IL EST EFFECTIVEMENT SIMPLEMENT ÉVANOUI, JE NE GAGNE RIEN.

SI JE PERDS CE PARI, CELA SIGNIFIERA QU'IL EST MORT ET PAR CONSÉQUENT, KURAPIKA SERA DÉCLARÉ VAINQUEUR !

REÇU.

POURRIEZ-VOUS SORTIR LA PASSE-RELLE ?

NOUS ALLONS TE LAISSER ALLER VÉRIFIER.

Viiiiim

Fiuuuuuu

Viiiiim

TCHAC

TAP

TAP

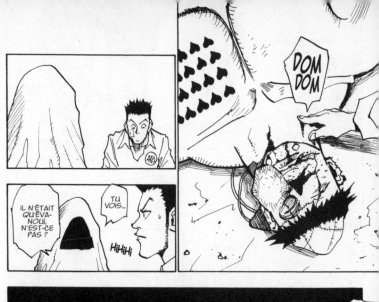

IL N'ÉTAIT QU'ÉVA-NOLI, N'EST-CE PAS ?

TU VOIS...

HIHIHI

DOM DOM

TIC

IL EST FORT POSSIBLE QU'IL N'OUVRE PAS LES YEUX AVANT LONGTEMPS.

HEIN ?

JE N'AIME PAS ÇA...

OUAIS ! LÉOLIO A PRIS LA TÊTE !

MAIS POUR EUX, IL EST PLUS INTÉRESSANT QU'IL SOIT EN VIE...

EN RESTANT COUCHÉ SUR LE SOL.

JE ME SUIS DEMANDÉ À CE MOMENT S'IL N'ÉTAIT PAS DÉJÀ MORT...

ELLE S'EST APPROCHÉE DE LUI TOUT À L'HEURE.

CHOISIS LE PROCHAIN PARI.

À TOI MAINTENANT.

LEURS PEINES D'EMPRISONNEMENT SERONT CHACUNE RÉDUITES DE 72 ANS.

S'IL RESTE ALLONGÉ PENDANT TOUT LE TEMPS QUI RESTE...

AUCUN DOUTE : IL N'EST PAS MORT.

JE VOIS.

Tic

EST-IL VRAIMENT ÉVANOUI ? OU PAS ?

VOILÀ LE PARI.

QUAND J'AI RECOUVRE MES ESPRITS.

LE MOT QUI ÉTAIT JUSTE À CÔTE DE MOI...

ÇA, CE N'ÉTAIT PAS ÉCRIT SUR TON MOT !!

EH, OH ?! QU'EST-CE QUE JE DOIS FAIRE, MOI ?!

CONTINUE DE FAIRE SEMBLANT D'ÊTRE ÉVANOUI !! CACHE CE MOT DANS TA BOUCHE !!

QU'IL EST VRAIMENT ÉVANOUI.

JE PARIE 20 HEURES...

...D'AC-CORD.

QU'EST-CE QUE JE FAIS ?! JE CONTINUE OU PAS ?!

J'AI TOUT DE SUITE COMPRIS : EN SIMULANT UNE PERTE DE CONNAISSANCE, LE TEMPS S'ÉCOULE ET ON AURA NOTRE REMISE DE PEINE DE 72 ANS SANS SE FATIGUER.

JE CONTINUE DE JOUER LES ÉVANOUIS.

OK. MESSAGE REÇU.

TAC

C'EST FACILE.

MAIS COMMENT VAS-TU T'Y PRENDRE POUR LE VÉRIFIER ?

NON, ÇA ME VA.

ON RECONNAÎTRA NOTRE DÉFAITE DANS LE MATCH DE KURAPIKA ET VOUS AUREZ DEUX VICTOIRES À VOTRE ACTIF.

NE T'INQUIÈTE PAS ! S'IL MEURT EN TOMBANT...

DOM DOM DOM

C'EST DE MA VIE QUE VOUS PARLEZ, LÀ !

C'EST UNE BLAGUE ?!

ÇA VA PAS, NON ?!

QUELQUE CHOSE À REDIRE ?

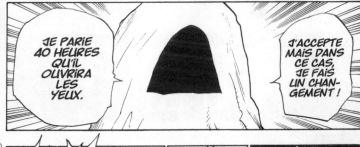

JE PARIE 40 HEURES QU'IL OUVRIRA LES YEUX.

J'ACCEPTE MAIS DANS CE CAS, JE FAIS UN CHANGEMENT !

JE SUIS CONSCIENT ! JE SUIS CONSCIENT !

EH, OH, ATTENDS ! NE ME LÂCHE PAS !

BON. JE LE LÂCHE.

TU TE MONTRES SOUS TON VRAI JOUR.

NOUS Y VOILÀ...

DOM

TOUT COMME TOI.

TU SAVAIS QU'IL SE RÉVEILLERAIT.

J'AI PERDU, C'EST BON ! VOUS ME PARDON- NEREZ MAIS...

VOUS ÊTES BARJOS ! ET MOI JE SUIS MALADE DE VOUS CÔTOYER !

JE SUIS ENCORE CAPABLE DE SAVOIR S'IL EST ÉVANOUI, EN REGARDANT LE MOUVEMENT DE SON ŒIL.

MÊME SI JE NE SUIS QU'UN ASPIRANT MÉDECIN...

JE ME SENS PLUS EN SÉCURITÉ DERRIÈRE LES BARREAUX !

TIC

`80 20`

SUR QUOI VEUX-TU PARIER ?

À TON TOUR !

TIC

`2`

IL NE TE RESTE DÉSORMAIS PLUS QUE 20 HEURES.

C'EST VRAI MAIS LE SCORE EST MAINTENANT DE 2 À 1 EN NOTRE FAVEUR.

JE...

AH...

CLANG

OOH

SLAT

QUOI ?

PARIONS SUR LA NATURE DE MON SEXE : HOMME OU FEMME ?

LIBRE À TOI DE L'AUSCULTER POUR OBTENIR LA RÉPONSE.

AVEC MON CORPS.

COMMENT FERAS-TU POUR ME LE PROUVER ?

UN TRAVELO...?

ÇA ME CONVIEN-DRAIT MAIS...

SI JE ME TROMPE...

HEIN ?

OUAIS.

LÉORIO... IL VA PARIER QUE C'EST UN HOMME.

ALLEZ !

61

MERCI DE BIEN VOULOIR PATIENTER QUELQUES INSTANTS.

UNE DÉFAITE SANS REGRET !!...

TIC

90 10

LORS D'UN PARI, QUELQU'UN QUI EST INCAPABLE DE FAIRE ABSTRACTION DE SA PRÉCÉDENTE DÉFAITE NE PEUT GAGNER.

LÉOLIO PARIE TOUJOURS DE MANIÈRE À LIMITER LES DÉGÂTS AU MAXIMUM.

IL N'A ABSOLUMENT AUCUN SENS DU JEU.

LÉOLIO N'A PLUS AUCUN SECRET POUR SON ADVERSAIRE.

IL VA PERDRE.

HEIN ?!

IL NE ME RESTE QUE 10 HEURES...!! JE N'AI PLUS DROIT À L'ERREUR.

ET JE N'AI PAS EN TÊTE UN PARI QUE JE PUISSE GAGNER À COUP SÛR.

GRR !!!

À TOI !

CONTINUE AINSI, TU AURAS BEAU FAIRE CE QUE TU VEUX, TU NE ME BATTRAS PAS.

C'EST EXACTEMENT CE QUE JE PENSAIS. JE N'AI PLUS AUCUNE CRAINTE À AVOIR QUANT À TA MANIÈRE DE JOUER.

CE N'EST PAS VRAIMENT LE MOMENT DE SE RÉJOUIR.

90 10

JE PARIE 80 HEURES QUE JE VAIS GAGNER !!

D'ACCORD.

PARIONS SUR LE GAGNANT D'UN "PIERRE-PAPIER-CISEAUX" !!

ET ZUT ! JE M'EN REMETS À LA CHANCE !!

QUOI ?!

COMMENT PEUT-ELLE ÊTRE AUSSI SÛRE D'ELLE À CE JEU !?

MAIS RASSURE-TOI : SI C'EST TOI QUI PERDS, TU NE PERDRAS JAMAIS QUE 10 HEURES.

ÇA NE TE DÉRANGE PAS ? ON PARIE LE NOMBRE D'HEURES QU'ON VEUT DE TOUTE FAÇON, NON ?

TU EN FAIS UNE TÊTE ! EN FAIT, JE NE SUIS PAS PARTICULIÈREMENT SÛRE DE MOI...

STATISTIQUEMENT, LA POSITION DE MAIN QUI SE PRÉSENTE LA PREMIÈRE FOIS LE PLUS FACILEMENT, C'EST "CISEAUX"...

DE PLUS, AUX STATISTIQUES S'AJOUTE ICI LA PSYCHOLOGIE.

ET SI ON NE REGARDE CELA QUE DU POINT DE VUE DE LA PROBABILITÉ, J'AI UNE CHANCE SUR TROIS DE PERDRE ET DEUX SUR TROIS DE GAGNER !! EN FAIT, J'AI PRÈS DE 70% DE CHANCES DE NE PAS PERDRE.

PIERRE ! PAPIER !

CE JEU N'EST QU'UNE QUESTION DE PROBABILITÉ ET DE PSYCHOLOGIE...

CISEAUX
!!!

AUSSI LA VOLONTÉ D'APAISEMENT PSYCHOLOGIQUE PREND LE DESSUS ET ON A TENDANCE À REFAIRE LA MÊME CHOSE OU À SORTIR UN ÉLÉMENT PLUS FORT POUR RETROUVER CONFIANCE.

VIENT ALORS LE MOMENT OÙ ON HÉSITE ET ON PERD CONFIANCE.

QUE VA-T-ELLE FAIRE AU PROCHAIN ? COMME ELLE A FAIT "PIERRE", ELLE VA CHANGER ! NON ! ELLE NE VA PAS CHANGER ! EUH SI ! ELLE VA CHANGER !

PFF

PAR CONSÉQUENT, EN FAISANT "PIERRE" J'AUGMENTE MES CHANCES DE GAGNER OU DE FAIRE NUL...

"PAPIER"
...

"PIERRE"...

IL NE ME RESTE À MOI QU'À SORTIR "PIERRE" POUR ÊTRE SÛRE DE NE PAS PERDRE !

PAR CONSÉQUENT, IL SERA TENTÉ DE SORTIR "PIERRE" OU "CISEAUX".

JONÈS

CE QUI VEUT DIRE QUE LE TEMPS RÉEL DONT ILS VONT DISPOSER EST INFÉRIEUR À 10 HEURES.

59H45 MN.

ET DONC ? COMBIEN D'HEURES LEUR RESTE-T-IL ?

PUISQUE LA MORT DE MON ADVERSAIRE NE FAIT AUCUN DOUTE.

PEU IMPORTE LE TEMPS QU'IL LEUR RESTE...

TU FAIS DE L'HUMOUR MAINTENANT ?

JE LE SENTAIS PLUTÔT BIEN CE JEU POURTANT...

ZUT !!

IL NE RESTE PLUS QUE MOI.

BON.

POUR AUJOURD'HUI, TU ME FERAS LE PLAISIR DE NE PLUS LA RAMENER.

POURQUOI TU FAIS CETTE TÊTE ?

S'IL ME SORT UNE HISTOIRE DE CALCUL MENTAL, JE NE DIS PAS MAIS...

TU M'ENTERRES BIEN VITE ALORS QU'ON N'A MÊME PAS ENCORE VU À QUOI RESSEMBLAIT MON ADVERSAIRE, NI COMMENT IL SE BATTAIT.

GON... IL COMMENCE SÉRIEUSE-MENT À M'ÉNERVER.

KURAPIKA, GON ! PARDON !!

OUI, MAIS BON...

ZUT !! ALORS QUE JE DEVAIS ABSOLUMENT GAGNER POUR QUE NOUS PUISSIONS CONTINUER !!

TAC

TU N'AS PAS TORT... ON A PEUT-ÊTRE ENCORE UNE CHANCE...

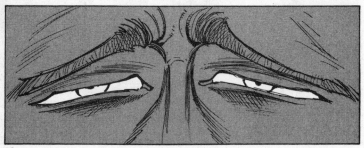

70

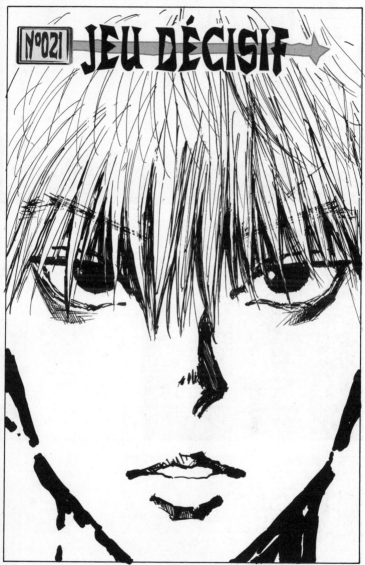

LE PLUS GRAND MEURTRIER DE TOUTE L'HISTOIRE DE LA CRIMINALITÉ DE ZABAN !!

JONÈS LE DÉCOUPEUR.

IL ARRACHA MÊME LE CŒUR D'UN PETIT GARÇON DE 11 ANS ENCORE EN VIE.

LES CORPS DE SES PAUVRES VICTIMES SONT POUR LES UNS DÉCOUPÉS EN MILLIERS DE MORCEAUX, POUR LES AUTRES PARTIELLEMENT AMPUTÉS, CERTAINES PARTIES RESTANT SUR LE LIEU DU CRIME, D'AUTRES EMPORTÉES AVEC LUI.

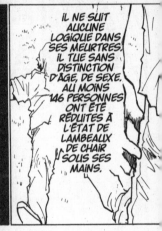

IL NE SUIT AUCUNE LOGIQUE DANS SES MEURTRES. IL TUE SANS DISTINCTION D'ÂGE, DE SEXE. AU MOINS 146 PERSONNES ONT ÉTÉ RÉDUITES À L'ÉTAT DE LAMBEAUX DE CHAIR SOUS SES MAINS.

C'EST QU'ILS ÉTAIENT TOUS DÉCOUPÉS EN AU MOINS 50 MORCEAUX. DANS LE MEILLEUR DES CAS...

AU FOND, LE SEUL POINT COMMUN ENTRE TOUS CES CORPS...

CRAC

CRAC

SA PARTICULARITÉ EST QU'IL PARVIENT À ARRACHER LA CHAIR DES GENS À MAINS NUES.

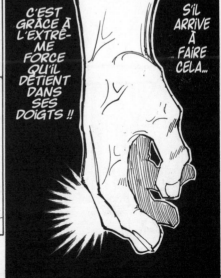

C'EST GRÂCE À L'EXTRÊME FORCE QU'IL DÉTIENT DANS SES DOIGTS !!

S'IL ARRIVE À FAIRE CELA...

JE CROIS QUE TU N'AS PAS BIEN COMPRIS.

SE BATTRE ?

DE QUELLE MANIÈRE NOUS BATTONS-NOUS ?

TOUT CE QUE JE VEUX, C'EST TOUCHER DE LA CHAIR...

JE ME FICHE DE CET EXAMEN, TOUT COMME DE CETTE AMNISTIE...

IL VA Y AVOIR UN MASSACRE, À SENS UNIQUE.

EN CE QUI TE CONCERNE, CONTENTE-TOI DE PLEURER ET DE CRIER, CE SERA SUFFISANT...

JONÈS
Meurtrier d'un très grand nombre de personnes. Peine à purger : 968 ans.

ET TOI, TU VAS...

OUI.

TU PENSES QU'IL VAUT MIEUX MOURIR QUE PERDRE, C'EST ÇA ?

OK.

76

COLic

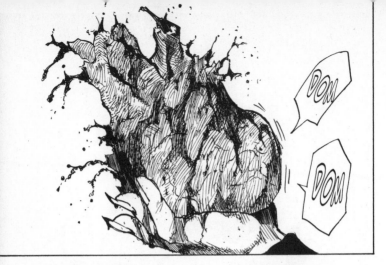

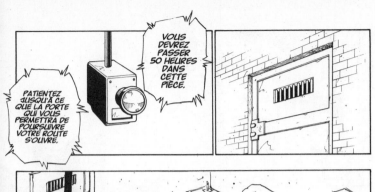

VOUS DEVREZ PASSER 50 HEURES DANS CETTE PIÈCE.

PATIENTEZ JUSQU'À CE QUE LA PORTE QUI VOUS PERMETTRA DE POURSUIVRE VOTRE ROUTE S'OUVRE.

JE ME SUIS CONTENTÉ DE LUI PRENDRE LE CŒUR.

ON NE PEUT PAS VRAIMENT PARLER DE TECHNIQUE.

KIRUA, QUELLE TECHNIQUE AS-TU UTILISÉE TOUT À L'HEURE ?

...

MAIS...

J'AI JUSTE FAIT UNE LÉGÈRE MODIFICATION POUR FACILITER LA PRISE.

ZIC

ZIC

EN CE QUI ME CONCERNE, JE SUIS UN EX-PROFESSIONNEL.

ON A BEAU DIRE, UN TUEUR RESTE MALGRÉ TOUT UN AMATEUR.

S'ILS AVAIENT ÉTÉ À MA PLACE, LA BLESSURE N'AURAIT MÊME PAS SAIGNÉ.

MAIS MES PARENTS SONT BIEN PLUS HABILES QUE MOI.

OUI... TANT QU'IL EST AVEC NOUS...

C'EST RASSURANT DE L'AVOIR AVEC NOUS.

AH...

C'EST UN CHAT ?

KARA

N°022 LE DERNIER PROBLÈME

LA FERME ! JE TE RAPPELLE QUE TU ÉTAIS SATISFAIT DU CHOIX QUE NOUS AVIONS FAIT !!

OUI. ON AURAIT MIEUX FAIT DE PRENDRE L'ESCALIER QUI DESCENDAIT.

ON AURAIT MIEUX FAIT DE PRENDRE L'ESCALIER QUI DESCENDAIT.

30 MINUTES À COURIR POUR SE RETROUVER ICI.

ずぁ～─ジィィィィィィン─ん!!

DÉ...
DÉPÊ-
CHONS-
NOUS...

PORTE :
Ouvrir
O
Ne pas ouvrir
X

IL NOUS
RESTE
PEU DE
TEMPS.

TIC

□4X1

AAAH...

BON SANG !
ÉVIDEMMENT
QU'ON VEUT
L'OUVRIR,
CETTE
PORTE !!

TIC

INUTILE DE MENTIR !

OH, PAS SI VITE. J'AI APPUYÉ SUR O.

J'EN AI VRAIMENT, MAIS ALORS VRAIMENT, VRAIMENT, MARRE DE TOI !!

CATCH

TU VAS ARRÊTER, OUI ?!

DÉSOLÉ, LÉOLIO !

C'EST MOI QUI ME SUIS TROMPÉ EN APPUYANT.

JE NE VAIS PAS EN RESTER LÀ.

PRÉSENTE-MOI TES EXCUSES EN BONNE ET DUE FORME.

AT-TENDS UN PEU.

AH BON ? C'ÉTAIT TOI ?

AH...

AUSSI JE N'AI AUCUNE INTENTION DE M'EXCUSER.

SI J'AI DIT ÇA C'EST PARCE QUE DEPUIS LE DÉBUT, TU FAIS VOLONTAI-REMENT LE CONTRAIRE DE CE QU'IL FAUDRAIT.

91

LE SECOND N'ADMET QUE 3 PERSONNES MAIS EST COURT ET FACILE.

LE PREMIER VOUS PERMET D'Y ALLER À 5 MAIS EST LONG ET DIFFICILE.

EN EMPRUNTANT LE DEUXIÈME, ON ATTEINT LE BUT EN MOINS DE 3 MINUTES.

CONCRÈTEMENT, IL N'EST PAS POSSIBLE, MÊME EN SE DÉPÊCHANT, DE SORTIR DU PREMIER CHEMIN EN MOINS DE 45 HEURES.

APPUYEZ SUR X POUR LE CHEMIN COURT ET FACILE.

APPUYEZ SUR O POUR LE CHEMIN LONG ET DIFFICILE.

ILS DEVRONT RESTER ICI JUSQU'À CE QUE LE TEMPS IMPARTI SOIT TOTALEMENT ÉCOULÉ.

SI VOUS PRESSEZ X, LA PORTE S'OUVRIRA APRÈS QUE DEUX D'ENTRE VOUS SE SERONT CONSTITUÉS PRISONNIERS, ILS SE SERVIRONT POUR CELA DES CHAÎNES QUI SONT DANS LE MUR.

J'APPUIERAI SUR X.

AUTANT VOUS LE DIRE TOUT DE SUITE...

BON...

JE FERAI PARTIE DES 3 QUI AVANCE- RONT.

PEU M'IMPORTE LA MANIÈRE...

AVOIR LA MOINDRE INTENTION DE RESTER ICI.

SANS POUR AUTANT...

ILS NOUS ONT PRÉPARÉ DES ARMES PROVENANT DES QUATRE COINS DU MONDE ET DE TOUTES LES ÉPOQUES.

LES JUGES ONT TOUT PRÉVU.

CELA SOUS-ENTEND QU'ON PEUT SE DÉPARTAGER MÊME EN SE BATTANT ?

96

ON EST ARRIVÉS JUSQU'ICI TOUS ENSEMBLE DONC JE VEUX QU'ON CONTINUE TOUS ENSEMBLE.

MOI J'APPUIERAI SUR O.

IL NE NOUS RESTE MÊME PAS UNE HEURE.

ON N'A PAS D'AUTRE CHOIX QUE LE PLUS COURT CHEMIN.

CE N'EST MÊME PAS RISQUÉ, C'EST IRRÉALISABLE.

MON CHOIX SERA LE MÊME.

EH, OH !

MÊME SI C'EST TRÈS RISQUÉ...

GON.

JE NE VOIS QUE LE COMBAT.

AUSSI, SI AUCUN DE NOUS N'A L'INTENTION DE RENONCER...

BIEN ÉVIDEMMENT, JE COMPTE, MOI AUSSI, FAIRE PARTIE DE CEUX-LÀ.

RESTE À SAVOIR QUI SERONT LES 3 À PASSER.

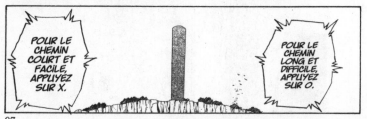

POUR LE CHEMIN COURT ET FACILE, APPUYEZ SUR X.

POUR LE CHEMIN LONG ET DIFFICILE, APPUYEZ SUR O.

97

98

ENFIN !

JE NE ME DOUTAIS PAS QUE LE CHEMIN COURT ÉTAIT UN TOBOGGAN.

3...?

30 SECONDES.

JE NE SENS PLUS MES MAINS.

JUSTE À TEMPS.

TADAN

IL N'Y A PAS À DIRE : C'ÉTAIT RISQUÉ.

C'EST GRÂCE À GON.

MAIS ON A PU SORTIR DE LA TOUR TOUS LES CINQ.

IL A ÉTÉ TRÈS ASTUCIEUX SUR CE COUP-LÀ.

DON

FRAK

FRAK

EN PROCÉDANT AINSI, IL ÉTAIT CERTAIN QU'ON POUVAIT TOUS ARRIVER AU BOUT.

ENTRER PAR "LE CHEMIN LONG ET DIFFICILE" ET UTILISER LES 50 MINUTES QU'IL NOUS RESTAIT POUR REJOINDRE "LE CHEMIN COURT ET FACILE"...

C'EST EN ÇA QUE TU AS FAIT TRÈS FORT.

DANS UNE SITUATION PAREILLE OÙ NOUS ÉTIONS TOUS À BOUT DE NERFS, TU ES PARVENU À FAIRE ABSTRACTION DES DEUX SEULS CHOIX QUE NOUS CROYIONS AVOIR.

AUSSI JE ME SUIS DIT QU'AVEC DES OUTILS, ON DEVRAIT ARRIVER À FAIRE UN TROU SANS DÉPASSER LA LIMITE DE TEMPS.

EN FAIT C'EST PARCE QUE JE ME SUIS SOUVENU QUE LES JUGES QUE NOUS AVONS AFFRONTÉS AVAIENT RÉUSSI À BRISER LE SOL ET LE MUR À MAINS NUES.

FIN DU TEMPS IMPARTI !!

BANG !!

TROISIÈME TOUR. NOMBRE DE PARTICIPANTS À AVOIR ATTEINT LE BUT : 25 (DONT 1 MORT)

PLUS QUE DEUX !!

IL NE VOUS RESTE QUE DEUX ÉPREUVES : LE 4ᵉᵐᵉ TOUR ET LA FINALE.

FÉLICITATIONS À TOUS D'ÊTRE PARVENUS À SORTIR DE LA TOUR.

LE QUATRIÈME TOUR AURA LIEU SUR L'ÎLE DE ZEBIRU.

CLAC

BIEN ! NE TRAÎNONS PAS...

LES CHASSEURS ET LES PROIES.

CETTE LOTERIE VA NOUS PERMETTRE DE DÉTERMINER...

DES NUMÉROS QUI NE SONT AUTRES QUE CEUX QUI VOUS ONT ÉTÉ ATTRIBUÉS AU DÉBUT DE LA COMPÉTITION.

IL Y A 24 CARTES NUMÉROTÉES.

À L'INTÉRIEUR

VOUS ALLEZ TIRER CHACUN UNE CARTE.

BIEN. VEUILLEZ VENIR TIRER UNE CARTE DANS L'ORDRE OÙ VOUS ÊTES ARRIVÉS AU PIED DE LA TOUR.

TOUT LE MONDE A SA CARTE ?

PAR CONSÉQUENT, VOUS ÊTES DÉSORMAIS LIBRES DE FAIRE CE QUE BON VOUS SEMBLE DE CETTE CARTE.

CLAC

MAINTENANT VOTRE NUMÉRO PERSONNEL AINSI QUE CELUI QUE VOUS VENEZ DE TIRER ONT ÉTÉ ENREGISTRÉS DANS CETTE MACHINE.

DEVIENT DÈS LORS VOTRE CIBLE. À CHACUN SA CIBLE.

LE PARTICIPANT QUI CORRESPOND AU NUMÉRO QUE VOUS AVEZ EN MAIN...

CE DONT VOUS DEVEZ VOUS EMPARER, C'EST LA PLAQUE NUMÉRALE D'IDENTITÉ DE VOTRE CIBLE.

3 POINTS.

SI VOUS PARVENEZ À PRENDRE LA PLAQUE NUMÉRALE D'IDENTITÉ DU PARTICIPANT QUI EST DEVENU VOTRE CIBLE...

ZAT

3 POINTS.

SI VOUS CONSERVEZ VOTRE PROPRE PLAQUE NUMÉRALE D'IDENTITÉ...

TAC

LES AUTRES PLAQUES NE VALENT QU'1 POINT.

6 POINTS.

SLAP

POUR ACCÉDER À LA PHASE FINALE, IL VOUS FAUDRA TOTALISER...

VOUS DEVREZ PARVENIR À TOTALISER 6 POINTS DANS LE LAPS DE TEMPS OÙ VOUS SEREZ SUR L'ÎLE DE ZEBIRU.

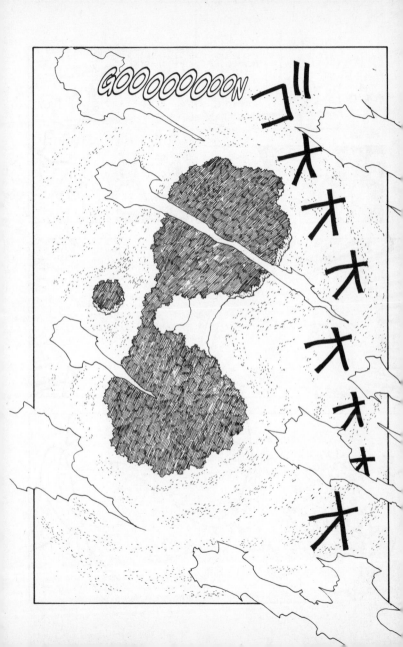

CHACUN AVAIT ENLEVÉ LE NUMÉRO QUI ÉTAIT ACCROCHÉ À SA POITRINE ET L'AVAIT CACHÉ SOUS SES VÊTEMENTS.

LE COMBAT AVAIT DÉJÀ COMMENCÉ.

SANS CROISER LE REGARD D'AUTRUI, CHACUN CHERCHAIT À EN SAVOIR PLUS.

DE QUI SUIS-JE LA CIBLE ?

ALORS QUI EST-CE ?

FIIUUUUUT

QUE CHACUN PROFITE PLEINEMENT DE CETTE TRAVERSÉE EN BATEAU !

BIEN ! IL VOUS RESTE DEUX HEURES AVANT D'ARRIVER ! VOUS POUVEZ LES UTILISER À VOTRE GUISE !

T'AS TIRÉ QUEL NUMÉRO ?

YO !

SECRET !

ET TOI ?

MA CIBLE NE PORTE PAS LE NUMÉRO 405.

T'INQUIÈTE PAS !

ON COMPTE JUSQU'À TROIS ET ON SE LES MONTRE ?

LA MIENNE N'A PAS LE NUMÉRO 99.

SÉ-RIEUX ...?

TU LE CROIS, TOI AUSSI ?

T'ES PAS VERNI À LA LOTERIE, TOI !

TU NE SAIS PAS, TOI NON PLUS ?

...

ET TOI ? C'EST LE NUMÉRO DE QUI ?

ILS AVAIENT DÉJÀ TOUS CACHÉ LEUR NUMÉRO...

APRÈS LES EXPLICATIONS DU JUGE, J'AI BIEN REGARDÉ AUTOUR DE MOI MAIS...

COMMENT J'AURAIS PU RETENIR LES NUMÉROS DE CHACUN ?!

LES DEUX PEUT-ÊTRE...

TU ES CONTENT ? OU TU AS LA TROUILLE ?

PUISQU'IL S'AGIT DE DÉROBER UNE PLAQUE, IL DOIT Y AVOIR UN MOYEN.

SI ÇA AVAIT ÉTÉ UN AFFRONTEMENT CLASSIQUE, JE N'AURAIS MÊME PAS ENVISAGÉ DE GAGNER MAIS...

120

VEUILLEZ DESCENDRE DU BATEAU EN RESPECTANT L'ORDRE DANS LEQUEL VOUS ÊTES ARRIVÉS AU PIED DE LA TOUR LORS DU 3ÈME TOUR !

UN INTERVALLE DE DEUX MINUTES SÉPARERA CHAQUE CANDIDAT QUI DESCEND DU BATEAU !!

C'EST LE TEMPS DONT VOUS DISPOSEZ POUR TOTALISER 6 POINTS...

ET REVENIR À CET ENDROIT.

VOUS RESTEREZ TRÈS EXACTEMENT UNE SEMAINE SUR L'ÎLE !!

DÉPART DU PREMIER CANDIDAT !!!

PARCE QU'ILS PEUVENT SE CACHER AVANT LES AUTRES ET OBSERVER LES MOUVEMENTS DE LEUR PROIE.

JE VOIS : CEUX QUI PARTENT EN PREMIER SONT AVANTAGÉS.

122

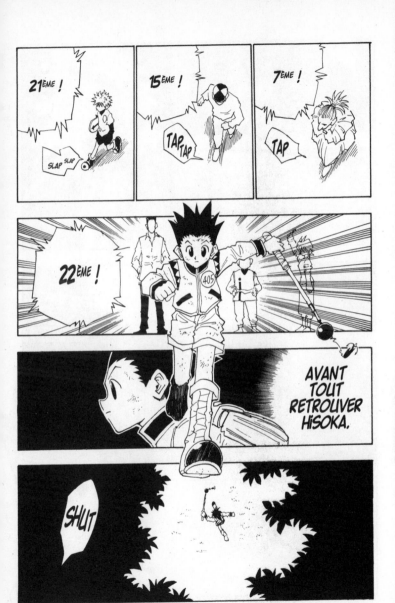

N°024 ENTRAÎNEMENT SPÉCIAL

HUM...

OUAIS...
À PART
L'AFFRONTER
DE FACE, JE
NE VOIS PAS
COMMENT
JE POURRAIS
Y ARRIVER...

129

FLAP FLAP

IL CHASSE CELUI QUI EST DEVANT LUI !

SHUT

ZAT ZAT

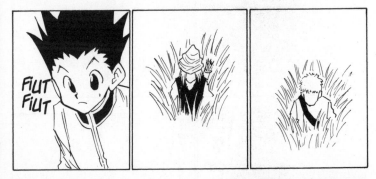

FIUT FIUT

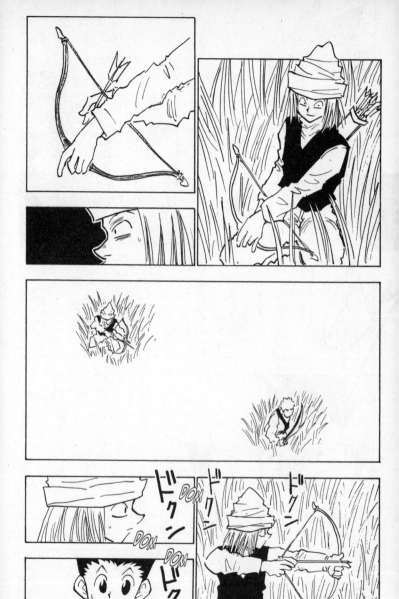

ATTENDS-TOI À NE PAS POUVOIR MARCHER PENDANT UNE SEMAINE.

LA FLÈCHE ÉTAIT TREMPÉE DANS UN LIQUIDE PARALYSANT À EFFET RAPIDE.

SLAT

AAH...

TAC

TU NE MOURRAS PAS.

IL Y A UN POINT D'EAU TOUT PRÈS D'ICI.

(105)

SALUT !

QUANT À CELUI QUI A ÉTÉ PARALYSÉ, BIEN QU'IL AIT PU ESQUIVER LE COUP, IL A REÇU UNE BLESSURE FATALE.

ÊTRE COMPLÈTEMENT INVISIBLE, SE RAPPROCHER ET ATTENDRE LE BON MOMENT.

GÉNIAL...!!

!!

C'EST ÇA, LA CHASSE ...!!

LE CHASSEUR, LUI, AVAIT ANTICIPÉ DAVANTAGE EN PRÉPARANT DES FLÈCHES TREMPÉES DANS UN LIQUIDE PARALYSANT. IL AVAIT TOUT PRÉVU.

ET SI MOI, JE VEUX ARRIVER À PRENDRE LA PLAQUE DE HISOKA...
IL N'Y A QUE COMME ÇA QUE JE PEUX Y ARRIVER !!
M'APPROCHER SANS ME FAIRE REMARQUER ...
GUETTER LE BON MOMENT...
FIUIT
ET LA LUI PREN-DRE !!

OUAIS.

IL Y A MALGRÉ TOUT UN GROS PROBLÈME...

HOP

HISOKA BOUGE.

À LA DIFFÉRENCE DE CETTE CIBLE...

ET JE N'AI PAS NON PLUS DE LIQUIDE PARALYSANT.

MÊME EN L'ATTAQUANT PAR SURPRISE, HISOKA N'EST PAS DU GENRE À FLANCHER AU PREMIER COUP REÇU.

JE DOIS ATTENDRE LE BON MOMENT ET LUI PRENDRE SA PLAQUE AVEC CET HAMEÇON. JE N'AI PAS LE CHOIX !!

JE N'AURAI PROBABLEMENT QU'UNE SEULE OCCASION DE LE TOUCHER SI NOUS SOMMES FACE À FACE !!

138

CE N'EST PAS TOUT À FAIT PAREIL...

MAIS...

CROÂ !

FLIT

IL Y A PEU DE DIFFÉRENCE ENTRE UNE CIBLE QUI SUIT DES MOUVEMENTS RÉGULIERS...

ET UNE AUTRE QUI NE BOUGE PAS.

HOP

JE DOIS AUSSI PRENDRE EN COMPTE LA RÉACTION DE MA PROIE.

MAIS OUI...

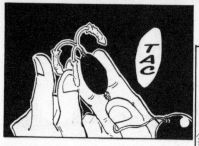

TAC

FLAP

CUI CUI

FLUU

FLUU

JE N'AI AUCUNE CHANCE DE POUVOIR PRENDRE LA PLAQUE DE HISOKA !!

SI JE N'ARRIVE PAS À ME SAISIR DE CET OISEAU...

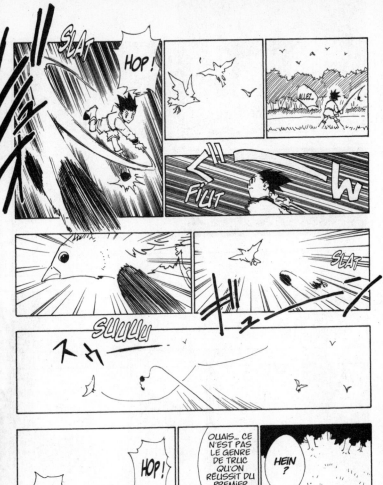

JE NE ME DOUTAIS PAS QUE C'ÉTAIT SI DIFFICILE.

MINCE !

BON, J'Y ARRIVERAI MIEUX DEMAIN.

HA !

HOP !

SI SEULE- MENT...

JE POUVAIS PRÉVOIR SES MOUVE- MENTS...

C'EST IMPOSSIBLE OU QUOI ?!

ATTRAPER UN OISEAU EN PLEIN VOL...

ÇA MARCHE PAS...!!

144

GITARAKURU

JE N'AI PAS LÂCHÉ MA CANNE DEPUIS DEUX JOURS.

J'AI LES MAINS EN SANG.

FLAP FLAP

J'AI ATTEINT UN TAUX DE RÉUSSITE OPTIMUM !!

J'AI PU M'ENTRAÎNER À ATTRAPER DES OISEAUX EN PLEIN VOL ET GRÂCE À CELA...

JE PARVIENDRAI À PRENDRE CETTE PLAQUE À HISOKA !!

SI JE PEUX METTRE CELA EN APPLICATION...

MAIS COMMENT FAIRE ?

IL NE RESTE PLUS QU'À LE TROUVER !!!

CETTE ÎLE EST LOIN D'ÊTRE PETITE...

WAH ?! QU'EST-CE QUE C'EST ?

POURQUOI SONT-ILS TOUS AUTOUR DE MOI...?

FLAP FLAP

HUM...

QUOI QU'IL EN SOIT, JE VAIS FAIRE CONFIANCE À MON FLAIR ET COMMENCER PAR ME DÉPLACER.

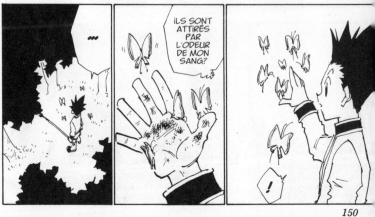

...

ILS SONT ATTIRÉS PAR L'ODEUR DE MON SANG?

SI JE ME SOUVIENS BIEN, HISOKA S'EST BLESSÉ DANS LA TOUR.

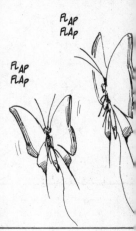

FLAP FLAP

FLAP FLAP

DÉPÊCHEZ-VOUS ! AVANT QUE SA PLAIE NE CICATRISE...

!!

SUU

AH...

C'EST CELUI QUI S'EST FAIT AVOIR PAR L'ARCHER.

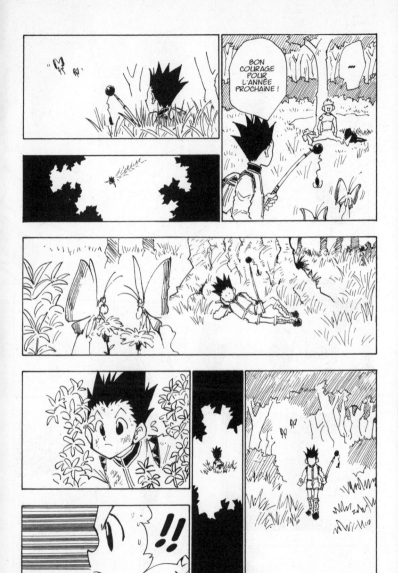

LE VOILÀ !!!

CALME-TOI...

CALME-TOI...

DOM DOM DOM

GRRR

154

PROUVE-LE-MOI...

JE T'ASSURE QUE TU N'ES PAS MA CIBLE.

PAS SI VITE, PAS SI VITE ! CALME-TOI !

MAIS J'Y PENSE ! SI ÇA SE TROUVE, MOI JE SUIS TA CIBLE !!

MALHEU-REUSE-MENT NON.

JE NE L'AVAIS PAS JETÉ AU CAS OÙ . JE VOIS QUE J'AI BIEN FAIT.

ET JE N'AI NI LA FORCE, NI L'ENVIE D'ALLER CHASSER AUTRE CHOSE QUE MA CIBLE.

HUM...

RE-GAR-DE !!

EUH... POURQUOI ? TOI NON ?

246... PONZU ?

TU SAIS QUI C'EST ?!

REGARDE...

246

HE HE !!!

À QUOI IL RESSEMBLE, QUELS SONT SES ARMES, SES TECHNIQUES, SES POINTS FAIBLES...?

TU AIMERAIS BIEN SAVOIR ?

PROUUUUT GOROGORORO GRUiiii SSSS

IL Y A UNE CONDITION : ON FAIT UN ÉCHANGE.

MAIS...

TU N'AURAIS PAS UN BON MÉDICAMENT POUR MOI ?

MAIS TOI, TU VEUX ÊTRE MÉDECIN, C'EST BIEN ÇA ?

À VRAI DIRE, J'ARRIVE À PEINE À TENIR DEBOUT.

GO RO GO RO

CE DOIT ÊTRE À CAUSE DES NOISETTES SAUVAGES QUE J'AI MANGÉES...

EN VOYAGE, C'EST INDISPENSABLE.

CONTRE LA DIARRHÉE, LES BRÛLURES D'ESTOMAC, ETC...

RESTE OÙ TU ES !

J'AI COMPRIS.

COMMENCE PAR ME DIRE CE QUE TU SAIS.

VRAIMENT ?! AH, MERCI !

D'APRÈS CE QUE J'EN SAIS, SUR LES 24 CANDIDATS, 5 UTILISENT LES MÉDICAMENTS COMME ARME.

ZAT ZAT

PONZU EST L'UN D'EUX. (ELLE RESSEMBLE UN PEU À ÇA)

PONZU EST UNE FILLE.

J'AI COMPRIS.

PFF...

GROOO

? MAIS L'UTILISATION QU'ELLE EN FAIT EST TRÈS BASIQUE : L'ATTENTE.

ELLE UTILISE LES MÉDICAMENTS ET TOUT CE QUI S'Y APPARENTE.

GORO-GORO GRUIiiii

TU AS TOUTES LES CHANCES DE GAGNER.

SI TU L'AFFRON-TES DE FACE...

EN DEHORS DE CELA, IL N'Y A RIEN À CRAINDRE DE PARTICULIER.

ELLE PRÉPARE UN PIÈGE ET ATTEND, LONGTEMPS S'IL LE FAUT, QUE SA PROIE TOMBE DEDANS.

OUI.

CAR ELLE EST PARFAITEMENT CONSCIENTE QUE QUELQU'UN EST SUR SA TRACE.

SI TU LA RETROUVES, SOIS TRÈS VIGILANT SUR LE SENS DU VENT ET TES TRACES DE PAS.

RECULE, ON NE SAIT JAMAIS.

OK !

DONNE-MOI LE MÉDICAMENT... JE N'EN PEUX PLUS...!!

VOILÀ POUR L'ESSENTIEL.

TAP

EH OUI !

NE CHERCHE PLUS LE MÉDICAMENT, JE L'AI TROUVÉ.

TU ÉTAIS SON COMPLICE !!!

TOMPA...!!

EN RÉALITÉ, MA CIBLE, C'ÉTAIT TOI.

CRUNCH

JE VAIS T'EXPLIQUER L'ASTUCE.

GLOUPS !

C'ÉTAIT VRAIMENT UN JEU D'ENFANT ! QUELLE NAÏVETÉ !

ON A JUSTE ÉCHANGÉ NOS PLAQUES.

C'ÉTAIT LA MIENNE.

403

ET ÇA, C'EST CELLE DE TOMPA.

MAIS ?! ET...

CETTE PLAQUE ?

ENFOIRÉS !!!

...

N°026 LA VEILLE DU COMBAT FINAL

168

ET ON A PRIS LES PLAQUES 16 ET 118.

C'EST BON !! J'AI RÉCUPÉRÉ MA PLAQUE.

QUAND TU AS ÉTÉ ATTAQUÉ PAR DERRIÈRE, JE N'AI PAS BOUGÉ.

NE ME REMERCIE PAS, LÉORIO.

MERCI POUR TON AIDE, KURAPIKA.

ALORS COMME ÇA, C'ÉTAIT TOMPA TA CIBLE...

JE ME SUIS DIT QUE SI TU N'ÉTAIS PAS CAPABLE DE PARER LEUR ATTAQUE, TU N'ÉTAIS PAS DIGNE DE FAIRE ÉQUIPE AVEC MOI.

EN FAIT...

ALORS...

MAIS...

FAISONS ÉQUIPE PENDANT LES 4 JOURS RESTANTS.

ENFIN, IL EST CERTAIN QU'AVANCER EN ÉQUIPE EST PLUS PRATIQUE.

QUI TU ES, TOI ?!

JE VAIS CONSIDÉRER QUE TU AS RÉUSSI.

PFF...

IL N'EST PAS DISCRET.

DEPUIS LE DÉBUT DU 4ÈME TOUR, QUELQU'UN ME SUIT.

QU'ON S'AMUSE UN PEU !

MONTRE-TOI !

ALLEZ.

MONTRE-TOI♥

DON

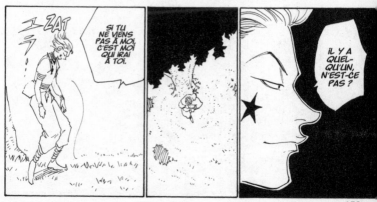

ZAT

SI TU NE VIENS PAS À MOI, C'EST MOI QUI IRAI À TOI.

IL Y A QUELQU'UN, N'EST-CE PAS ?

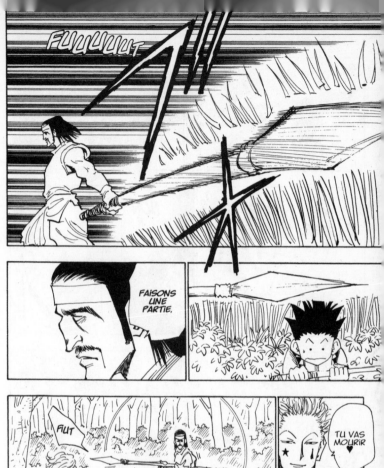

FUUUUUUT

FAISONS UNE PARTIE.

FIUT

C'EST L'OCCASION.

TU VAS MOURIR ♥

174

176

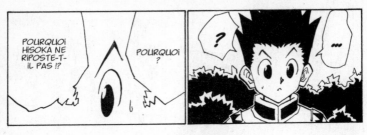

ET JE COMPRENDS QUE TU AIES ENVIE DE FINIR DIGNEMENT COMME UN GUERRIER QUE TU ES MAIS... ♣

JE SUPPOSE QUE QUELQU'UN T'A DÉJÀ INFLIGÉ DE SÉRIEUSES BLESSURES, NON ?

NON...

TAC

TU AVAIS COMPRIS ET POURTANT...

TU...

TU NE VEUX PAS TE BATTRE CONTRE MOI !!!

MALGRÉ CELA...

PARCE QUE TU N'AS PLUS DE VIE ♥

DANS LES YEUX ♦

MOI...

LES MORTS NE M'INTÉRESSENT PAS ♣

178

181

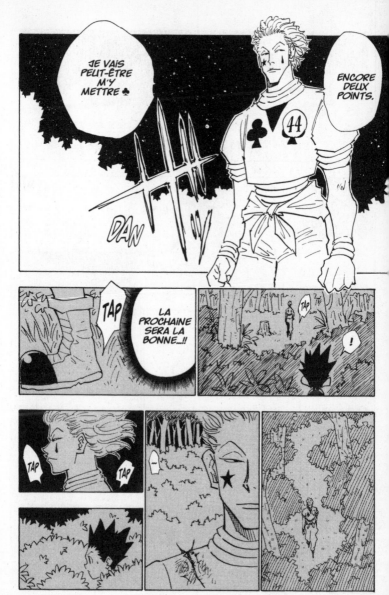

184

3. L'ARRIVÉE (FIN)

La règle du jeu est simple:
survivre!

LA NOUVELLE GÉNÉRATION
DE KONOHA !
BORUTO:NARUTO NEXT GENERATIONS © 2016 by Masashi Kishimoto, Ukyo Kodachi, Mikio Ikemoto/SHUEISHA Inc.
BORUTO
-NARUTO NEXT GENERATIONS-
kana
kana
www.kana.fr
11 TOMES PARUS

UN SHONEN D'HÉROÏC FANTASY !

Dans des territoires peuplés de monstres-insectes
et plongés dans une nuit éternelle vivent et travaillent,
au péril de leur vie, des agents postaux très spéciaux :
les Letter Bees !

Le jeune Lag porte sur lui un bon de livraison :
Lag est le premier colis que Gauche, le Letter Bee,
doit livrer ! L'aventure ne fait que commencer !!

www.kana.fr   SHONEN – Série finie en 20 tomes

BLUE DRAGON

Ral Ω Grad

L'humanité est menacée !

Un shonen dévastateur en 4 volumes !

Les Kages sont des
ombres maléfiques
et monstrueuses qui
s'attaquent aux hommes.

Une seule personne
peut les vaincre : Ral !

Avec l'aide de Grad,
le terrible blue dragon
qui vit en lui,
Ral parviendra-t-il
à sauver le monde ?!

Ce manga est publié dans son sens
de lecture originale, de droite à gauche.

Ici, vous êtes donc à la fin.

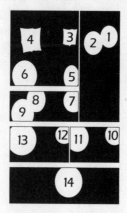

HUNTER X HUNTER

HUNTER X HUNTER © POT (Yoshihiro Togashi) 1998
All rights reserved.
First published in Japan in 1998 by SHUEISHA Inc., Tokyo.
French translation rights in France and French-speaking Belgium, Luxembourg,
Switzerland and Canada arranged by SHUEISHA Inc.
Première édition Japon 1998.

© KANA 2000
© KANA (DARGAUD-LOMBARD s.a.) 2021
7, avenue P-H Spaak - 1060 Bruxelles
20ᵉ édition

Achevé d'imprimer en mars 2021 • Dépôt légal : juin 2000
d/2000/0086/117 • ISBN 978-2-8712-9268-5

Traduit et adapté en français par Thibaud Desbief
Conception graphique : Les Travaux d'Hercule
Adaptation graphique : Éric Montésinos

Imprimé et relié en Italie par LEGOPRINT
Via Galileo Galilei 11, 38015 Lavis

PEFC
PEFC/18-31-280

Certifié PEFC

Ce livre est issu
de forêts gérées
durablement et de
source contrôlées

www.pefc-france.org

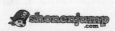